CHERCHE ET TROUVE

Le diable de Tasmanie

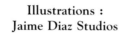

Illustrations :
Jaime Diaz Studios

Scénario : Tom DeMichael

Illustration de la première page de couverture :
Rod Vass

© 1996 Éditions Phidal pour le texte français
5740 Ferrier, Montréal, H4P 1M7

Imprimé aux États-Unis

ISBN 2-89393-561-3

P Phidal

Dans la forêt de Tasmanie, chacun s'affaire à préparer le grand festin. Taz s'apprête à aller chasser une belle bête à chair tendre et juteuse pour le plat principal : le Ragoût du Carnaval carnivore. Les aides-cuisiniers se creusent tout un appétit dans la cuisine alors Taz doit faire vite !

Peux-tu trouver Taz, ses amis et les ingrédients dont ils ont besoin pour compléter leur recette ?

«Tasse» de fleurs

La Diablesse

Cuiller à «T» de sucre

«Demi-tasse» de lait

Taz

«Masse» de fromage

Cuiller à «table» de sel

Gourmet de Tasmanie

Brrr ! Le pôle Nord est la première escale de Taz dans sa quête d'une viande savoureuse. Il a entendu dire qu'un fameux lièvre des neiges y vient faire du ski alpin. Taz aimerait bien battre le «lapin en neige». Mais le rapide rongeur glisse vite entre ses pattes tout en s'amusant follement.

Cherche Taz, Bugs et les autres skieurs sur cette pente de ski du pôle Nord.

Bugs Bunny

Petit Pingouin

Taz

Charlie le Coq

Daffy Duck

Pepe le Pew

Elmer Fudd

Ici, c'est la jungle ! Taz visite l'Afrique. Il adorerait avoir Porky pour dîner mais ce dernier ne tient pas du tout à être le plat principal. De plus, il participe lui aussi à un safari au gros gibier.

Cherche Taz, puis vois si tu peux trouver Porky et ses amis dans la jungle.

Porky

Taz

Bugs Bunny

Sam le pirate

Cécile la Tortue

Elmer Fudd

M. Gros Gorille

Et c'est un départ ! Taz s'est élevé bien haut, bien loin, là où aucun Diable de Tasmanie n'a jamais mis la patte. La recherche d'un plat savoureux a mené Taz sur la planète Mars, là où Daffy Duck s'est fait «canardé» par Marvin le Martien. Daffy est caché parmi les fêtards du parc d'amusement Marsamusant; Taz aura bien du mal à le trouver.

Cherche Taz puis trouve Daffy et ses amis planétaires qui s'amusent au parc d'amusement Marsamusant.

Taz

Daffy Duck

Marvin le Martien

K-9

Grosminet

Mémé

Titi

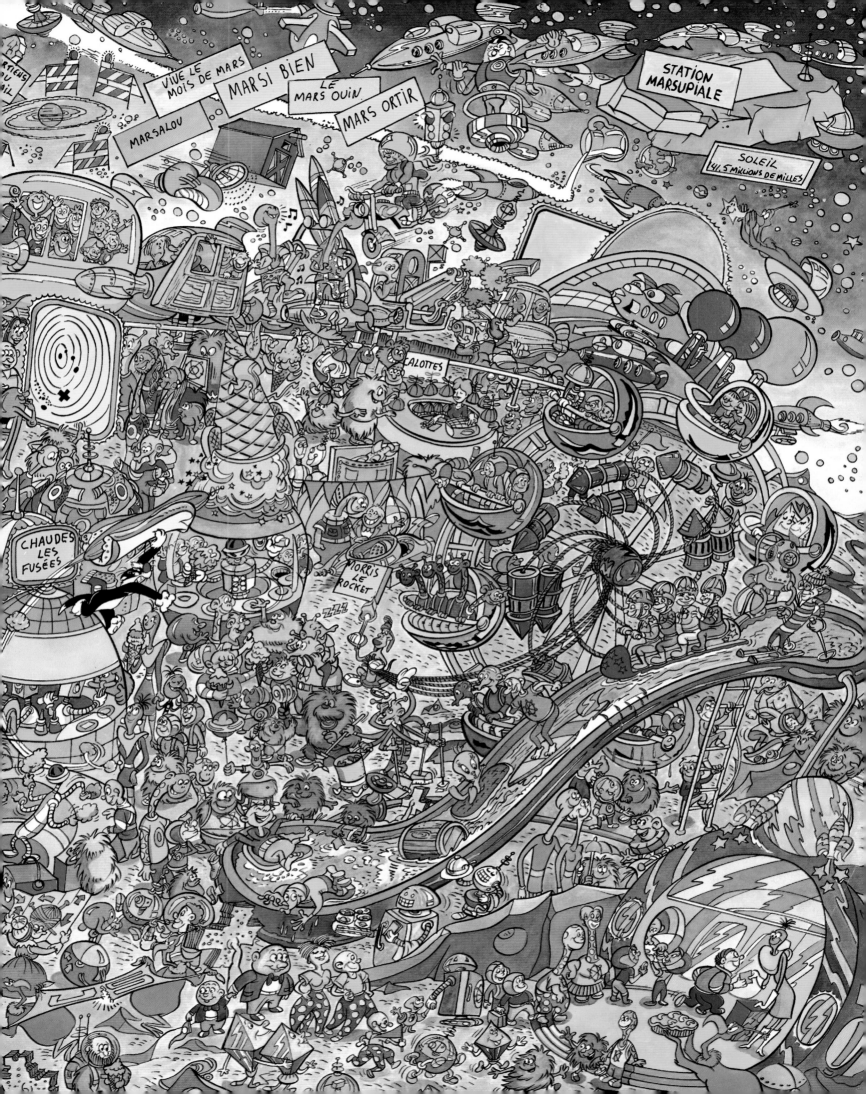

Salut cow-boy ! Bienvenue au Far-West. Après avoir tourné à droite à Albuquerque, Taz se retrouve dans le Village Fantôme. Il a l'œil sur Bib Bip mais pour attraper l'oiseau de course, il devra être encore plus vif et vil que Vil Coyote.

Regarde bien et vois si tu peux trouver Taz, Bib Bip et ces héros du Village Fantôme.

Bib Bip

Taz

Vil Coyote

Bugs Bunny

Sorcière Hazel

Sam le pirate

Les Trois Ours

Cap au nord ! Taz s'enfonce dans New York. Il pense qu'un grain de Titi relèverait le goût de son ragoût. Il veut lui clouer le bec dans ce gratte-ciel. Mais attention, là où se trouve Titi, Grosminet s'y trouve aussi. Réussir à attraper le canari avant Grosminet rendra sûrement Taz aussi gai qu'un pinson.

Vois si tu peux trouver Titi et ces autres citadins de la ville de New York.

Titi

Taz

Grosminet

Glen Ouille

Mémé

Charlie le Coq

Goofy Goophers

¡**H**ola amigos ! Señor Taz se dirige vers le sud. Il n'a toujours qu'une seule idée en tête : la viande. Taz sillonne le Mexique à la recherche d'une alléchante souris souriante, Speedy Gonzales.

Puisque Taz a besoin de Speedy, vois si tu peux trouver cette souris macho et ses amis baigneurs dans cette fébrile station balnéaire mexicaine.

Speedy Gonzales

Taz

Grosminet

Lambin Rodriguez

Daffy Duck

Claude, Sam, Babbit et Chatstello

Ça alors ! Cette poursuite a mené monsieur Taz jusqu'à Paris, la Ville lumière. Mais le temps presse et Taz n'a toujours pas trouvé l'ingrédient principal de son succulent ragoût. Ses cris de putois attireront peut-être Pepe Le Pew qu'il cherche parmi les artistes et clients du Louvre.

Vois si tu peux trouver Taz, Pepe et ses artistes associés qui se promènent parmi les objets d'art, dans et autour du musée.

Taz

Bugs Bunny

Pepe Le Pew

Grosminet

Vil Coyote

Bib Bip

Charlie le Coq

Votre attention s'il vous plaît !
On annonce l'arrivée du vol Tazmataz,
commandé par Taz le titan tannant.
Le retour à l'aéroport de Tasmanie
aurait été déprimant n'eût été de la
superbe surprise-partie organisée par
ses amis en signe de bienvenue.

Cherche bien Taz, ses amis et les
proies qu'il a ratées, dans et autour
de l'aéroport.

Taz

La Diablesse

Grosminet

Bugs Bunny

Mémé

Daffy Duck

Titi

Retourne à la cuisine et cherche les aides-cuisiniers qui préparent le grand festin.

Bourreau Patati
Presse-purée Patata
Coupeur de tête Tom
Athrouge
Pirates Chiche et Kébab
Samouraï K. Rott
Cracheur de feu Pim
Menfort
Dégustateur Kan Gourou
Presseur de jus Ray Zin

Retourne au pôle Nord et cherche les objets ou personnages qui suivent.

Pantoufles
Va-nu-pieds
Ordinateur
Surfeur
Téléphone
Cornet de crème glacée
Béquille
Boussole

Retourne dans la jungle et cherche les choses qui se nichent dans les arbres de cette dense forêt.

Arbre généalogique
Grenouille
Maison
Cabine téléphonique
Musaraigne
Docteur Dutronc
Lampe
Table

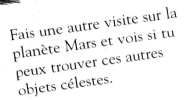

Fais une autre visite sur la planète Mars et vois si tu peux trouver ces autres objets célestes.

La Voie lactée
Les calottes polaires martiennes
Le système solaire
Le jeu d'apesanteur
La Terre
La tarte aux étoiles filantes

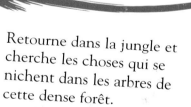